Amon
Ami, Michael
Merci beaucoup #
Toutes les Support.
Merci.
Marc-yr
10-28-2014

HAITI

AFTER THE SHOCK

I Dedicate This Book In Memory

Of Those Who Perished In The

Jan 12, 2010 Earthquake.

For information, please write
DownHome Publishing
P. O. Box 330251
West Hartford, CT 06133
www.downhomepublishing.com
email: haitiaftershock@aol.com

First Edition
First printing January 2011
Printed in the United States of America
HAITI AFTER THE SHOCK
ISBN 978-0-9663952-4-2

Library of Congress Control Number: 2011920037
1. Haiti After the Shock 2. Poetry 3. Haiti 4. Children
5. Politics 6. Essays 7. Election 8. Earthquake 9.Chol-
era 10. United Nations 11.Diaspora.

Book Design: **BLUEMAZE** STUDIO
Cover Photograph: Marc-Yves Regis

OTHER BOOKS BY MARC-YVES REGIS

Haiti Through My Eyes
Deadly Road to Democracy
Two Good Feet

Thanks and Acknowledgments |

I am deeply indebted to Frankye Regis for encouraging me to write down everything I saw during the time I spent in Haiti after the earthquake, and for line editing the English poetry. I would also like to thank my son Marc-Yves Regis II who read all my poetry during the writing process. Thanks to Dorothy Mazaitis for reading my manuscript. Many thanks to my brother Yves Regis, Bishop Jean Russel Bataille, the Rev. Marie Eleane Bataille, and the Rev. Freud St. Julien for helping me edit the Creole text. Thanks to Camp Hispaniola Counselor Patricia Jean-Paul who assisted the young writers in Haiti with the Creole text. Kudos to my friend Michel Lesly Louis, who made the first Camp Hispaniola in Haiti become a reality. Muchas gracias to my book designer Wesley Santiago, who went beyond his duty.

I greatly thank everyone who has supported Camp Hispaniola: The Episcopal Diocese of CT; Bishop Jim Curry; Bishop Laura Ahrens; Bishop Ian Douglas; Jack Spaeth; Karin Hamilton; Kathy Rowe; Kathy Kronholm; Maggie Faulkner; Dot Smith, and members of St. Ann's Episcopal Church in Old Lyme; the Rev. Linda Spiers and members of Trinity Episcopal Church in Collinsville; the Rev. Judith Alexis and members of L'Eglise Epiphanie in Stamford; the Rev. Nancy E. Gossling and members of St. James' Episcopal Church in Glastonbury; St. John's Episcopal Church in Waterbury; the Rev. Thomas Furrer and members of Trinity Episcopal Church in Terryville; St. Stephen's Episcopal Church in Ridgefield; Françoise Louis; Colin Poitras; Eric Foster; Cynthia Whitney; Helen & Lawrence Raisz; Gina Seay; Jeuly Ortengren; Lisa Elswit; Louise Simmons; Sharon Heyman; Jerry Hardison; Lois Kulas; Susan Hansen; Donna Brown; Susan Campbell; Helen Ubinas, Kathleen Anderson; George Mazaitis; Marlene and Donald Macnaughtan; Aneeta Jagjivan; Lucian Addario; Ula Dobson; Emelda Alexander; Ruth Goldbaum; Jan and Richard Bishop; Amy & Kevin McCarthy; Lisa Conti and the 6th grade students at John Wallace Middle School in Newington, CT; Gerald & Patricia Lavery; Sonya and Jonathan Richmond; Frank Cabral; Romily Cofrancesco; Dr. Augustine Cofrancesco; Peter Cofrancesco; Isaac Compere; Andre and Mathilde Regis; Suze Regis; Margarette Regis; Illa Regis; Magalie Regis; Josette Pierrette; Gabrielle and Ersnt Pierrette; Jerry and Donna Ransom; Lillie and Percy Daniels; Ora Douglas; Paul Ransom and Robert Ransom.

PGS CONTENTS |

PG   CONTENTS |

PG CONTENTS |

Author's Note |

I arrived in Haiti via the Dominican Republic two weeks after the Jan. 12, 2010 earthquake that devastated Port-au-Prince, my hometown. I traveled with Arm2Arm Inc, a medical mission. The need was so massive it overwhelmed me mentally.

The earthquake caused more than 300,000 deaths and left more than one million of my brothers and sisters homeless. I stayed for two weeks helping the survivors rebuild their lives from the debris of destroyed homes. I slept under a tent just for the experience. After two days under that tent, I felt phony because it was not my real life. I knew that after a week I would return to the U.S. and resume my comfortable living. For those families surviving under the rubble, it was not a rehearsal, it was reality.

Meanwhile, the adults spent most of their time waiting in line for rice and water, and the children wandered throughout the tent cities that are erected near the National Palace and all over the country.

Six months after the earthquake, I returned to Haiti to run Camp Hispaniola, of which I am founder and director. Camp Hispaniola was created to provide Haitian children who live in the slums of Port-au-Prince, and those living in bateyes (sugarcane plantations) in the Dominican Republic, a place where they may participate in a week of fun and exciting activities.

The summer camp is held for five days in each venue and provides activities such as arts and crafts, music, dance and sports. In the Haiti-based camp, we provide music therapy to children who were traumatized by the earthquake that demolished Port-au-Prince and surrounding cities. Children in both countries are served three meals a day, including a hot meal for dinner.

In Haiti, the children gave vivid details of their experiences during the earthquake. I encouraged them to write down their stories, which served as a therapeutic process for them. I was so moved by the contents of their essays, that I decided to publish them with my poetry, which I began to write after the earthquake. The children wrote their essays in their native tongue, Haitian Creole. I translated them into English. The contributors are: Nerva Conserve, 8; Youvens François, 12; Joana Desroches, 12; Francesca St. Julien, 11; Fraudencia St. Julien, 10; Samantha Noël, 10; Johanta Noël, 12; Lovenski Baptiste, 13; Shaïna Jeanty, 10; and Kelidad Jeanty, 12. In December 2010, I went back to Haiti (for the third time that year) in a gift-giving mission organized by Connecticut Haitian American Organization, Inc. (CHAO). Unfortunately, the country was paralyzed for several days after the Provisional Electoral Council (CEP) announced the results of the Nov. 28, 2010 presidential election. A popular candidate came in third, and his supporters took to the streets and began burning the country. What went wrong? The election cost approximately $30 million, and it was closely monitored by officials from the United States, France, Canada, Organization of American States (OAS), CARICORM and MINUSTAH.

They accused the CEP of vote rigging and asked for a recount. This was shameful because the donor countries were waiting for the election of a new president before they released the money for Haiti's reconstruction. Because they were dissatisfied with the election results, I wonder if they will let millions of homeless Haitains suffer while they struggle over power at the expense of the people.

-Marc Yves Regis
January 1, 2011

FOREWORD|

Marc-Yves Regis, a talented professional photographer and my former colleague at The Miami Herald, has a huge heart -- one that was broken when his homeland was shredded by the earthquake of Jan. 12, 2010. Two weeks after the disaster, Marc, a Connecticut resident, traveled to Haiti by way of the Dominican Republic, not to take pictures, but to take part in the healing. He arrived as part of a medical mission sponsored by an organization called Arm2Arm. Six months later, Marc was back again, this time to run Camp Hispaniola, a project he founded in 2007. It's a place for kids from the devastated slums of Port-au-Prince and the desolate sugar cane plantations of the Dominican Republic. The children get three nutritious meals a day, and an immersion in arts, crafts, music, dance and sports.

At the session after the quake, Marc encouraged the campers to commit their feelings to writing. They did, and you can read their words in this volume. The children's prose/poetry is achingly beautiful, simple and inspiring.

For example, Baptiste Lovenski, an 11-year-old, writes:

Haiti will not die.
Haiti will rebuild.
We are Haiti.
Haiti is us.
I love you Haiti.

The bulk of this book consists of Marc's poetry about Haiti and the crosses it must bear -- poverty, coups, corruption, hurricanes, disease, deforestation, and of course, the earthquake of 2010. It takes prodigious talent and a compassionate soul to write so movingly and beautifully about such a wretched event. Marc-Yves has both.

Casey Frank
Sunday Editor
The Miami Herald
December 20, 2011

HAITI

AFTER THE SHOCK

Miss Haiti at 206

For all Haitians

Miss Haiti
struggled all of her life to survive,
but in spite of all the calamities,
she kept on fighting
for a better tomorrow.

Miss Haiti
never gave up;
although colonialism invaded her
and took most of her major resources,
she continued fighting.

Miss Haiti
is tired of the bloodshed
that her children
inflicted on each other
for narcissistic reasons,
but she kept on going.

Miss Haiti
did not finish celebrating her 206th birthday
on January 12, 2010, because an earthquake
brought her to her belly
and forced her to crawl
like a snake without a head.

Miss Haiti
is anemic.

Manmzèl Ayiti gen 206 zan

Pou tout Ayisyen

Manmzèl Ayiti
lite tout lavi l pou yon ti lamanjay,
malgre kalamite,
li kontinye goumen kifkif
pou yon demen miyò.

Manmzèl Ayiti
pa janm bay legen,
kwak kolon blan anvayi l
epi fè dap piyanp sou tout richès li yo,
li kontinye batay.

Manmzèl Ayiti,
bouke benyen nan san,
pitit li yo pa gen lizaj
pou danri, tikrik ti krak
youn tiye lòt,
men li kenbe kin alaganach.

Manmzèl Ayiti,
pop ko menm fin fete 206 zan
yon tranbleman tè fese l atè,bip
jou ki te douze janvye demildis a.
fòse li ranpe
kou yon koulèv san tèt.

Manmzèl Ayiti,
pa ka kenbe kò l.
Li blayi sou do nan saldijans
l ap tann yon dòs sewòm
nan men pèp souvren an
pou l ka pran jarèt.

Thirty-Five Seconds

Thirty-five seconds of terror.
Thirty-five seconds of fear of imminent death.
Thirty-five seconds of desperation to survive.
Thirty-five seconds of lamentation.

Thirty-five seconds
of a massive 7.0-magnitude
earthquake that crushed lives,
bones, dreams, spirits and hope.

Thirty-five seconds
that transformed Haiti's
panorama forever.

Only
thirty-five seconds.

Trant Sink Segonn

Trant sink segonn nan laterè.
Trant sink segonn kote lanmò tap chigote nou.
Trant sink segonn nan dezolasyon.
Trant sink segonn nan lamantasyon.

Trant sink segonn
kote yon rafal katafal 7.0
goudou goudou te demantibile lavi, kraze zo
depatya rêv, boulvèse lespri E maspinen lespwa nou.

Trant sink segonn
ki dekonstonbre
figi Ayiti pou jamè.

Sélman
Trant sink segonn.

No Space at the Cemetery
Nerla Conserve

On January 12, 2010 I had a fever; I didn't feel like eating, but my mother made me eat something. Suddenly, I felt the earth shaking. I ran outside holding a plate of food in my hands. I was running so fast that all of the food flew in the air. A part of the house almost hit one of my little cousins; a neighbor saved her life by pulling her away. My brother and another cousin were inside watching television when they ran out of the house in a flash. When I came outside, the sky was foggy, and then it turned cloudy.

At night, I slept on a soccer field, not too far from my house. Many families spent the night there too. The earth continued to shake, but not as hard. My family called it an aftershock. Anytime we felt the aftershock, everybody cried out, "God the Father, don't let us die." That night, we were so afraid and sad; we spent the night without sleep. Each aftershock made us more afraid. Several days after the earthquake, I found out that one of my cousins who was a medical student had died, and his body was at the University. My family began to look for a graveyard. He was so young; we were not ready to bury him. There was no space at the cemetery. We had no choice but to put him in an unknown grave.

At this time, I feel much better compared to the way I was weeks after the earthquake. Now, the people who are left are paying the price for the earthquake. Before the earthquake, there was poverty, but now there is misery, hunger and homelessness all mixed up in one pot.

Nerla Conserve is 8-years-old and in the 4th grade. She has seven brothers and three sisters. She would like to become a nurse.

Pa gen Plas nan Simityè
Nerla Conserve

12 Janvye 2010 mwen te gen lafyèv, epi yon sè m t ap Fòse m manje kèk kiyè manje, se konsa mwen santi tè a ap tranble, mwen kouri ak tout plat manje a, si tèlman mwen kouri vit, manje a vole nan menm. Mwen te gen yon frè m ak kouzen m ki tap gade televizyon yo gentan vole sòt deyò. Gen yon vye mi ki tap tonbe sou yon ti kouzen m gen you moun ki pase pran n apre sa mi an tonbe Lè m sòti deyò mwen wè peyi a vin tou blanch, aprè yon lòt ti moman ankò peyi a fè nwa yon sèl kou.

Nan aswè, m al dòmi sou yon tèren, tou pre kay mwen an, kote te gen anpil lòt moun kite vin pase nwit la. Chak fwa gen yon ti sekous tout moun pran rele Bondye papa pa ki te nou peri. Jou swa sa a nou fè tout nwit la nou pa janm dòmi non sèlman tritès ak perèz anvayi kè nou. Epi ti sekous la vin fè nou pi pè. Apre kèk jou mwen pran nouvèl gen yon kouzen m ki te nan fakilte medsin mouri, kadav la te nan inivèsite a. Fanmi m kòmanse fè kèt kout maltaye pou entere l. Lè fanmi m eseye chache yon tonm pou li simitye te oblije di li pa kapab ankò, se nan fòs pèdi yo te oblije mete mò a.

Nan moman sa a m santi trè byen parapò ak janm te ye lè katastròf la te fèk pase. Epi mwen wè se kounye a populasyon an ap peye konsekans katastròf la, paske, depi anvan li te deja ap soufri, nan moman sa a soufrans li ogmante.

Nerla Conserve gen 8 tan. Li nan katriyèm ane fondamantal. Li gen sèt frè e twa sè. Li ta vle vin yon enfimyè.

Valley of Death

For several days after the earthquake,
Port-au-Prince was a valley of death,
where survivors and corpses
shared the same neighborhood.

For several days after the earthquake,
Port-au-Prince was a valley of death
where the living ate, slept and lived with
bodies that became a part of their lives.

For several days after the earthquake,
Port-au-Prince was a valley of death,
where survivors breathed in
the putrid air of decaying bodies.
This was not living.
Oh no, this was death too.

Ravin Lanmò

Plizyè jou apre tranbleman tè a,
Pòtoprens tounen yon ravi n lanmò,
kote kretyen vivan ak moun mouri,
tounen vwazen.

Plizyè jou apre tranbleman tè a,
Pòtoprens tounen yon ravin lanmò
kote moun ap viv, dòmi, manje
kolekole ak mò, kòmsi se pa anyen.

Plizyè jou apre tranbleman tè a,
Pòtoprens tounen yon ravin lanmò
kote kretyen vivan ap respire
yon move odè k ap defonse nen yo.
Sa se pa lavi.
O non, sa se lanmò.

When the Earth Moved

For Dominique

When the Earth moved,
our bodies trembled,
our hearts lost their rhythm,
our senses vanished.

When the Earth moved,
nothing really mattered.
Everybody, everything
became a statistic.

When the Earth moved,
there was no Goliath or David,
we all became neighbors
under makeshift tents.

When the Earth moved,
centuries-old architecture
was reduced to piles of dirt,
mixed with bones, flesh and blood.

When the Earth moved...

Lè Tè a Tranble

Pou Dominique

Lè tè a tranble,
kò nou tribiche,
kè nou pèdi konpa,
nou pèdi lòlòj nou.

Lè tè a tranble,
anyen pa gen enpòtans
tout moun, tout bagay
tounen yon nimewo.

Lè tè a tranble,
pa gen Golyat pa gen David,
nou tounen vwazinay
anba yon tant kole pyese.

Lè tè a tranble,
gwo chato ki gen plis pase syèk
tounen yon pil fatra,
melanje ak zo, chè e san.

Lè tè a tranble …

I Prayed
For Adeline

I prayed
for families who witnessed
husbands, wives, children
mothers, fathers, sisters
and brothers entombed alive.

I prayed
for every Haitian
because we all lost someone,
something or everything.

I prayed
for Haiti, a country devastated
by floods, hurricanes,
individualists, corruption
Cholera and an earthquake.

I prayed
for the expatriates
and the Haitian leaders
to join hands to ease the grief
and the pain of our brothers and sisters
buried under the rubble.

Mwen Priye

Pou Adeline

Mwen Priye
pou tout fanmi ki temwen
swa mari yo, madanm yo, pitit yo
manman yo, papa yo, sè yo
ak frè yo ki antere tou vivan.

Mwen Priye
pou chak Ayisyen
paske nou tout pèdi yon moun,
byen materyel nou ak tout lòt bagay.

Mwen Priye
pou Ayiti yon peyi ki demantibile
ak inondasyon, siklòn,
dezinyon, koripsyon,
kolera ak tranbleman tè.

Mwen Priye
Pou diaspora yo
ak lidè Ayisyen yo
travay men nan men pou yo ka
diminye doulè frè m ak sè m yo
kap kokobe anba debri.

Haiti's Calvary

Their hands are shaky
like an old timer.
Their legs are weak;
they are too tired
to fight over bottles of water.

Their country is nailed to a cross,
waiting for the international donors
that pledged to help Haiti
get down from calvary.

Their lives are bound,
waiting for relief from
"Mr. Openhanded" that
collected billions on her behalf.

Haiti, be strong because
your suffering has just begun.

Kalvè Peyi Ayiti

Men yo ap tranble
kòmkwa yo gen maladi latranblad.
pye yo yenyen,
yo trò fatige
pou y al goumen pou yon boutèy dlo.

Peyi a kloure sou yon kwa,
l ap tann donatè entènasyonal
ki pwomèt y ap bali bourad
pou ka ede l desann sou kalvè a.

Lavi yo pandye,
y ap tann yon ti grap day
nan men mesye "Menlouvri"
ki ranmase bilyon sou zo bwa tèt yo.

Ayiti, tanpri kanpe djanm
paske kalvè w fèk kòmanse.

Testimony

For Luce

During the earthquake,
a mother and her children
were trapped inside their house,
pleading with God
to save their lives.
They huddled together
while crying for help.
After hours of agony
their bodies gave way.
But with little strength left,
they gave their testimonies
and waited to die.
Suddenly, a thunder broke the silence.
They panicked and closed their eyes.
A part of their house collapsed.
They ran out right before
their house turned into dust.

Testaman

Pou Luce

Pandan tranbleman tè a,
yon manman ak pitit li yo
pran nan pèlen anndan kay yo,
epi yo pran plenyen nan pye Bondye
pou sove lavi yo.
Yo mare sosis yo ansanm
epi yon pran wouke sekou.
Aprè tout peripesi sa yo
kò yo tonbe andegraba.
Men avan yo pèdi tout ti fòs yo,
yo fè testaman yo
epi y ap tann pou y al bwachat.
Toudenkou, loray pran gwonde!
yo pantan! epi yo fèmen zye yo.
yon bout nan kay la tonbe.
yo mete paten nan pye yo
epi kay la tounen yon pil tè.

Only Time

No time for last rites.
No time for all-night wakes.
No time for family
and friends to play cards,
dominoes, and make jokes.
No time to drink ginger tea, coffee,
clairin and Rhum Barbancourt.

No time to build coffins.
No time for funerals.
No time for processions.
No time for requiems.
No time for eulogies.

Only time
to discard bodies
into mass graves
like rubbish.

Yon ti Tan

Pa gen tan pou labsolisyon.
Pa gen tan pou veye tout lannwit.
Pa gen tan pou fanmi ak zanmi
vin jwe kat ak domino, bay bèl blag.
bwè te jenjanm, kafe,
kleren ak wonm babankou.

Pa menm gen tan pou fè sèkèy.
Pa gen tan pou chante antèman.
Pa gen tan pou swiv kòbya.
Pa gen tan pou libera.
Pa gen tan pou rablabla.

Sèlman yon ti tan
pou jete kadav yo
nan yon fòs pèdi
tankou fatra.

I Was So Lucky
Johanta Noël

When the earthquake shook my country, I was inside my house. I ran out, and a section of the house fell next to me. I was so lucky I did not get hit. I was already very sad, because my friend Pharadia died on January 11, the day before the earthquake. Then on the morning of January 12, I went to her funeral. I was so sad; I did not eat for two days. Late in the afternoon, an earthquake hit Haiti and that doubled my pain, because one of my cousin's houses collapsed on him. But God protected him and only his leg was broken.

Johanta Noel is a 12-year-old 7th grader. She has four brothers and one sister. She would like to become a dancer.

Mwen gen Chans
Johanta Noël

Lè tranblaman tè a mwen te anba yon kay dal beton, mwen kouri sòti anba kay la epi li tonbe, gen yon blòk ki te tonbe bò pye m. Rezon ki fè m pi tris mwen te gen yon zanmi m ki te mouri depi onz janvye epi douz janvye nan maten yo te fè antèman an. Se te yon tifi li te rele Pharadia. Mwen te fè de jou mwen pat manje si tèlman mwen te sezi. Aprè sa mwen te gen yon kouzen kay li te tonbe, A Bondye te pwoteje l li pat mouri sèlman pye l ki te kase, epi Bondye pwoteje l pandan tout rès jou yo.

Johanta Noël gen 12 an, Li nan setyèm ane fondamantal. Li gen yon sè, kat frè Li ta vle aprann danse.

Head Doctor

A sign hanging
on a makeshift tent
across from the National Palace
read:

"Head Doctor Office
Champs-de-Mars
Tent City #35
All Are Welcome
No appointment needed."

Inside,
an old man sat on a cement block
listening to his patients
recount their dilemmas
during therapy sessions.

At the end,
he sang, wept and danced
with his patients,
to help them cope
with their mental trauma.

The old man had no Ph.D.;
he couldn't even read and write.
But, he did his part to help
his neighbors in the tent cities.

Dòktè Tèt

Yon siy plake
sou yon tant rapyese
ki babpoubab ak Palè Nasyonal
di konsa:

"Klinik Dòktè tèt
Channmas
Tant site #35
N ap akeyi w ak bra louvri
ou pa bezwen kase randevou."

Anndan tant la,
yon nèg chita sou yon blòk siman
li mete zòrèy li an twonpèt
poul ranmase koze anba bouch kleyan yo
pandan yon sesyon terapi.

Alafen
granmoun lan pran chante,
li kriye, li danse ak kleyan yo,
se mannyè pal pou l ede yo
pou yo pa pèdi lòlòj yo.

Granmoun lan se pa yon dòktè,
li pa konn a nan fèy malanga
men li pote kole pou l retire
kalkil nan tèt vwazinay li yo.

Billions Collected

Despite the billions collected,
the earthquake victims still
live in desperate conditions.

Despite the billions collected,
millions of homeless
are trapped under tarps.

Despite the billions collected,
the country is still in emergency mode,
waiting for a miracle.

Yo Brote Bilyon

Swadizan yo brote bilyon,
sinistre yo toujou ap penpennen
nan kodisyon deplorab.

Swadizan yo brote bilyon,
plis pase yon milyon san kay
pran nan ratyè kou rat anba tant.

Swadizan yo brote bilyon,
peyi a toujou nan ka dijans
y ap tann yon mirak.

Haiti Will Not Perish

Haiti will not perish,
but she will be in a coma indefinitely,
unless we act with consciousness.

Haiti will not perish,
but she will be in a coma indefinitely,
unless we Haitians are ready to serve.

Haiti will not perish,
but she will be in a coma indefinitely,
unless we give our sweat and our blood
to the country we claim we love.

Haiti will not perish,
but she will be in a coma indefinitely
unless we answer her cries for help.

Ayiti pap Peri

Ayiti pap peri,
men l ap rete nan koma pou lontan,
sòf si nou pran konsyans.

Ayiti pap peri,
men l ap rete nan koma pou lontan,
sòf si nou Ayisyen prè pou nou pote kole.

Ayiti pap peri,
men l ap rete nan koma pou lontan,
sòf si nou bay swè nou, ak san nou
pou peyi nou fè sanblan nou renmen.

Ayiti pap peri,
men l ap rete nan koma pou lontan,
sòf si nou ede sòtinan soufrans li.

Hope

Hope
is the bank account for most Haitians.

With hope
they will send their children to school.

With hope
they will eat someday.

With hope
they will pay their rent.

With hope
they will get out of the tent cities.

With hope
tomorrow will be better.

Hope
will keep them alive.

Sorry, but they cannot rebuild Haiti
with hope.

Espwa

Espwa
se kòfrefò preske tout Ayisyen.

Ak espwa
timoun nou yo pral lekòl.

Ak espwa
yo pral manje yon jou.

Ak espwa
yo pral peye kay nou.

Ak espwa
Y ap sòti anba tant.

Ak espwa
Zafè yo ap pi bon demen.

Espwa
fè yo viv.

Dezole!
yo pa ka rebati Ayiti
ak espwa.

Children are the Future of Haiti
Fraudencia St. Julien

On January 12, 2010, I was inside my house eating when suddenly I felt the house shaking around me. I cried out, "Jesus, Jesus" while I ran out of the house. When I got outside, the street was foggy. I couldn't see anything. The sky became cloudy. Everyone around me was so afraid. The whole neighborhood moved to a soccer field, not far from our houses.

My house was cracked. The sad part is that someone near my house died. My school collapsed. My best friend also died inside her house.

Right now, I am doing well. I would like to thank Camp Hispaniola because it brought us happiness and fun. We prayed that God would bless the people who started the camp for thinking of us, because children are the future of Haiti.

Faudencia St. Julien is 10-years-old and is in 5th-grade. She has one sister and one brother. She would like to become a nurse.

Timoun yo se Avni Peyi a
Fraudencia St Julien

12 Janvye 2010 mwen te anndan kay manman m mwen te ap manje, se konsa mwen santi kay la ap souke avèk mwen, mwen kouri sòti deyò, mwen rele Jezi ! Jezi ! Lè mwen pa wè devan, mwen pa wè dèyè, lari a vin tou blan, apre yon ti kadè li vin tou nwa.

Nou tèlman pè, nou te ale tabli kò nou sou yon tèren bò lakay nou. Kay manman m fisire,sak plis fè mal gen yon mesye ki mouri bò lakay. Mwen gen lekòl mwen ki kraze. Mwen genyen yon ti zanmi m ki mouri anndan kay m anman'l se kondisip klas mwen li te ye.

Kounye a mwen santi mwen byen. Map di kan ispan-yola mèsi paske li vin retire nou nan lapèn. Mèsi ankò pou tout sèvis li te rann nou. E map priye Bondye pou l toujou jete benediksyon l sou òganizasyon sa a pou l toujou panse ak nou, sitou timoun yo paske timoun yo se avni yon peyi.

Faudencia St. Julien li gen 10 zan. Li nan senkyèm ane fondamantal. Li gen yon sè ak yon f rè. Li ta vle vin yon enfimyè.

Haiti, My Country

Haiti, my country,
I am coming back,
back to recapture,
recapture my youth.

Haiti, my country,
I am coming back
to play hide and seek,
hopscotch, mankala
and joke with my old friends.

Haiti, my country,
I am coming back
to play marbles, fly a kite,
eat griyo and fried plantains
in the streets of Port-au-Prince.

Haiti, my country,
I am coming back
to sit under a mango tree
around the old folks, and
listen to "Bouki ak Malis,
and Jan sòt ak Jan lespri" stories.

Haiti, my country,
I am coming back
to add a drop of water
to your bucket.

Haiti, my country
I am coming...

Ayiti, Peyi mwen

Ayiti, peyi mwen,
m ap retounen,
pou ka vin jwi,
jenès m te ki te dèyè.

Ayiti, peyi mwen,
m ap retounen,
pou m vin fè lago kache,
jwe jwèt marèl, jwe kay
epi bay blag ak ansyen zanmi yo.

Ayiti, peyi mwen,
m ap retounen
Pou m vin jwe mab, monte kap,
manje yon griyo ap bannann peze
nan lari pòtoprens.

Ayiti, peyi mwen,
m ap retounen
pou m vin chita anba yon pye mango
nan mitan granmoun lontan
pou m ka tande istwa Bouki ak Malis,
Jan sòt ak jan lespri.

Ayiti, peyi mwen,
m ap retounen
pou m vin lage
yon ti gout dlo
nan bokit ou.

Ayiti peyi mwen
m ap retounen…

Rice Vendor

I remember
when I was a boy
growing up in Port-au-Prince.
I loved to hear the powerful
and musical voices
of the rice vendors,
with their hemp baskets
securely on their heads,
singing men bèl diri blan, diri jòn
diri Madam Gougous, diri Rekzoro,
while passing by my house.

Today,
the situation has changed.
Every street has become a market,
and bags of rice imprinted with U.S. flags
have replaced the vendors' hemp baskets.
The vendors sing no more.

Machann Diri

Mwen sonje
Lè m te timaymay
nan vil pòtoprens.
Mwen te konn renmen tande
vwa fò e mizikal
machann diri yo kap chante
ak panye yo byen bòzò sou tèt yo
men bèl diri blan,diri jòn,
diri Madan Gougous, diri Rekzoro,
pandan y ap fè lavironndede bò lakay.

Jounen jodi a,
tout bagay vire lanvè.
tout lari tounen mache,
sak diri dekore ak drapo Meriken
ranplase panye banbou yo a.
Yo pa chante ankò.

Only Women

The roosters had not crowed
when the women began to gather
at the rice-distribution point.
Before long, the line grew.
They pushed and fought with those
who tried to cut in front of them.

By midday,
they were tired and hungry,
but they continued to wait,
and wait for hours
before they each picked up
the 50-pound bags of rice
and put them on their heads
like crowns.

Sorry,
no beans,
no oil,
no meat.
Just a bag of rice.

Fanm Sèlman

Kòk poko chante
yo kòmanse tabli kò yo
nan sant distribisyon diri.
Nan yon kadè, ly nan vin san limit.
Yo pouse, yo goumen ak lòt
ki vle pran daso.

A midi sonnan,
yo fatige, epi trip yo ap kòde,
kwak sa yo kontinye ap tann,
tann pou plizyè èdtan
avan yo chak ranmase
yon sak diri a ki peze senkant liv,
epi yo mete l sou tèt yo
kou yon kouwònn.

Dezole,
Pa gen pwa,
Pa gen lwil,
Pa gen vyann,
sèlman diri.

Behind the Gate

Behind the gate
I was a little girl.
I danced.
I jumped rope.
I played hopscotch.
I fought.
I pushed.
I laughed and
laughed with my friends.
Behind the gate,
I was a little girl.
During the earthquake,
the gate collapsed, and
my life shattered.
Now, I am no longer
a little girl;
I am a cripple.

Dèyè Baryè a

Dèyè baryè a
Mwen se yon ti fi.
Mwen danse.
Mwen sote kòd.
Mwen jwe marèl.
Mwen batay.
Mwen fè grandizè
Mwen ri
ri ak zannmi m.
Dèyè baryè fè a,
mwen se yo tifi.
Men tanbleman tè a,
kraze baryè a,
li detwi lavi m.
Kounye a mwen
pa yon tifi ankò;
mwen se yon kokobe.

Women of Haiti
For Carolle

Women of Haiti,
who connected
our umbilical cords
to our ancestors, get up
and fight for your liberation.

Women of Haiti,
who are exploited,
abused and disrespected
under the tents, in the streets
and at the markets, get up
and fight for your rights.

Women of Haiti,
don't let a bag of rice,
a tent, a plate of food
and some secondhand clothes
make you lose your sanity.
Get up and fight for your respect.

Women of Haiti,
who work long and hard
in unpleasant conditions
and never abandon your duties,
even at the price of your lives,
get up and fight
for your equality.

Women of Haiti,
keep your dignity.

Fanm Ayiti
Pou Carolle

Fanm Ayiti
ou menm ki makònen
kód lonbrik nou
ak zansét nou yo, leve kanpe
goumen pou liberasyon w.

Fanm Ayiti
ou menm yo eksplwate,
toufounen, denigre
anba tant yo, nan lari,
nan mache leve kanpe
goumen pou dwa w.

Fanm Ayiti
pa kite yon sak diri,
yon tant, yon plat manje,
ak kèk vye rad pèpè
fè nou pedi tèt nou.
leve kanpe goumen pou rèspè w.

Fanm Ayiti
ou menm kap feraye
nan move kondisyon
men ou pa a janm bay legen.
menm si lavi w menase.
leve kanpe goumen
pou yo trete w egalego.

Fanm Ayiti.
kenbe diyite w.

Stations of the Cross

Day after day,
Haitians continue to stumble
with heavy crosses
that crush their spirits.

Day after day,
they bear heavy crosses:
the cross of Miss America;
the cross of Miss France;
the cross of Mr. World Bank;
the cross of Mr. IMF;
the cross of Miss Canada;
and the cross of MINUSTAH.

Day after day,
they fall down with their crosses.
Then they get up and keep moving,
but the earthquake's cross
became a stumbling block.

Day after day,
they bear their crosses
like a perpetual
Stations of the Cross.

Chimen Kwa

Jou ale, jou tounen,
Ayisyen yo bite
anba yon pakèt kwa lou
kap pilonnen lespri yo.

Jou ale, jou tounen,
kwa pwasenkant toujou sou do yo:
yo pote kwa Mesye Meriken;
yo pote kwa Mesye Fransè;
yo pote kwa Mesye Bank Mondyal;
yo pote kwa Mesye FMI;
yo pote kwa Mesye Kanada;
E yo pote kwa Minista.

Jou ale, jou tounen,
yo blayi ak kwa a
yo leve epi yo kontinye vanse
men kwa tranbleman tè a
tounen yon manman penmba.

Jou ale, jou tounen,
yo kontinye ap pote kwa yo
kòmsi se yon chimen kwa
vitam etènam.

Haiti's Future

The children are the nation's future.
More than half of them have
never seen a classroom.
They sleep on the streets
with sidewalks as mattresses
cardboard for sheets;
rocks for pillows;
and they eat abundantly,
complimentary of garbage dumps.

The children are Haiti's future.
More than half of them
bear psychological scars
after the earthquake
and will not make it to their 10th birthday.
Even though our shameless leaders
claim that they are Haiti's future.
What future?

Avni Peyi Ayiti

Timoun yo se avni peyi a.
Plis pase de ka nan yo
pa janm chita sou yon ban lekòl.
Yo dòmi nan lari,
kote twotwa tounen matla
bout katon pou dra;
wòch pou zòrye;
epi yo manje jouk yo rasazye,
nan poubèl gwozouzoun.

Timoun yo se avni peyi a.
Plis pase de ka nan yo
pèdi lòlòj yo,
apre tranbleman tè a
epitou yo pap rive
depase dis lane.
Men lidè mal pou wont yo
kontinye ap fè grandizè,
timoun yo se avni peyi a.
Ki avni?

The Country Mourned
Youvens François

My name is Youvens François. I am Haitian. I am going to tell you how I survived the January 12 earthquake. I will never forget that date.

I was sitting outside my house, when I saw the earth began to shake. Still, I was not able to understand what was going on. When I saw houses falling, I knew that something was wrong. Suddenly, many of my brothers and sisters were falling down too, like rain, like the crumbling buildings, and the country cried and cried. After the earthquake, everybody was afraid to go inside of their houses, even though they were standing. That night everybody slept outside in the open air.

I don't ever want to see anything like that again. I was so sick that I thought I would die. I was not able to go to school because the building collapsed too. Sorrow, sadness and fear have become a part of my life since the earthquake.

Youvens François is 12-years-old and is in 5th-grade. She has five brothers and three sisters. She would like to become a doctor.

Peyi a Andèy
Youvens François

Mwen se François Youvens, mwen se yon Ayisyen. Mwen pra l rakonte kòman mwen te viv tranbleman tè a 12 janvye. Jou sa se yon jou ke mwen pa gen dwa janm bliye. Mwen te chita lakay se wè mwen wè tè a te kòmanse ap tranble. Mwen pat konprann anyen nan sa ki t ap pase a. Lè mwen wè kay komanse ap tonbe. Mwen te kòmanse santi genyen yon bagay ki pa nòmal. Pandan yon ti bout tan sa anpil frè ak sè nou tonbe tankou grenn lapli. Epi tout peyi a te andèy. Jou sa tout moun te pè kay yo menm si yo pap kraze. Yo te blije dòmi alabèletwal.

Mwen pa ta renmen viv yon bagay konsa ankò. Aprè sa mwen te vin malad anpil mwen pa ka ale lekòl ankò paske lekòl mwen te kraze. Chagren, tristès, kè sote bagay sa yo okipe lespri mwen anpil. Mwen pèdi tout espwa. Jou sa ap toujou rete nan lespri m.

Frnçois Youvens François gen 12 zan. Li nan senkyèm ane fondamantal. Li gen senk frè e twa sè. Li ta vle vin yon doktè.

Unsung Heroes

They hammered away
at the concrete for hours
to save a little girl
who was entombed alive for days.

They risked their lives
searching for survivors
trapped under the rubble
after the earthquake.

With their bare hands,
they removed body
after body from the rubble
to prevent an epidemic of disease.

Despite all their sacrifices,
they were not among the elite
who received medals
from the Haitian president.
Maybe their invitations got lost
under the rubble of the ruined National Palace.

Ero Nou pa Konnen

Yo kwaze beton
kifkif pou plizyè èdtan
pou sove lavi yon tifi
ki te antere tou vivan pandan kèk jou.

Yo mete lavi andanje
pou yo ka chèche moun ki vivan
men ki antere anba debri
apre tranbleman tè a.

Ak men yo san gan
yo ranmase kadav
aprè kadav anba pil tè
pou pwoteje pèp la kont epidemi.

Aprè tout sakrifis sa yo
yo pap rive chita nan mitan gro zotobre
ki t ap resevwa gwo meday
nan men prezidan peyi Ayiti.
Genlè invitasyon yo pèdi
anba debri nan Palè Nasyonal.

Smell of Death

Throughout Port-au-Prince,
I inhaled the smell of death,
causing me to pinch my nose
and walk faster without looking back.

Throughout Port-au-Prince,
I inhaled the smell of death.
Though the bodies were not visible,
I still felt their spirits.

Throughout Port-au-Prince
I inhaled the smell of death,
which followed me
like my shadow.

Throughout Port-au-Prince
I inhaled the smell of death,
a pungent odor that filled the air.

Sant Mò

Toutotou Pòtoprens
mwen pran sant mò
ki fè m bouche nen m
e mache plop plop san gade dèyè.

Toutotou Pòtoprens
mwen pran sant mò
kwak mwen pa ka wè yo
mwen ka santi prezans yo.

Toutotou Pòtoprens
mwen pran sant mò
kap swiv mwen pye pou pye
komsi se lonbray mwen.

Toutotou Pòtoprens
mwen pran sant mò
k ap dispèse nan lè ya.

Rest in Peace

For Stephanie

He saw the earth move
and panicked;
his legs became numb.

He tried to run,
but the earth moved under his feet.
He lost his balance and fell down.
He screamed for help.
Although nobody heard his pleas,
he refused to give up.

He tried to run again.
He fell down for a second time;
he was too tired to run for his life.
Rest in peace...

Repoze Anpè
Pou Stephanie

Li wè tè pran brase
li pantan!
Epi pye l vin angoudi.

Li eseye mèt zèl nan pye l
men tè a kontinye brase anba pye l.
Li dezekilibre, epi li tonbe.
Li rele anmwe, li plenyen.
Pyès moun pap ede l
Men li pa vle bay legen.

Li eseye mete paten nan pye l
li tonbe yon lòt fwa ankò
li te trò fatige pou l te kouri,
lanmò pase pra l
Repoze anpè...

Rainy Season

For Fla

The rain came down
throughout the night
in torrents and
collapsed the makeshift tents
that were built with sticks,
poles and plastic sheeting.

The rain came down
throughout the night
like a torrent and forced residents
to spend the night awake
because mud covered the ground.

The rain came down
throughout the night
like a torrent and created fear
in the people despite
their pleading with God
for a raincheck.

Sezon Lapli

Pou Fila

Lapli tonbe
tout lannuit san rete
kòm yon tanpèt
debalize tout tant kole pyse
ki konstwi ak poto, bout bwa,
ak bout plastik.

Lapli tonbe
tout lannuit san rete
kòm yon tanpèt kite fòse
okipan yo fè janmè dodo
paske tant yo tounen yon marakaj.

Lapli tonbe
tout lannuit san rete
kòm yon tanpèt
ki bay moun yo laperèz
kwak yo priye Bondye
pou yon ti kanpo.

Please Tell Me How?

How can
the earthquake survivors
rebuild their lives from scratch
when they only have scrap?

How can
the earthquake survivors
rebuild their lives when they have lost
their dignity under a pile of rubble
in the midst of a sanitation crisis?

How can
the earthquake survivors
rebuild their lives when they
struggle daily for a crumb of bread?

How can
the earthquake survivors
rebuild their lives when death
has become their constant companion?

Please tell me how?

Di m Kòman Souple?

Kòman w ta vle
pou viktim tranbleman té a
refè lavi yo sou yon lòt fondasyon
lè se sou jant yo tap woule anvan?

Kòman w ta vle
pou viktim tranbleman té a
refè lavi yo, lè yo pèdi diyite yo
anba you pil debri fatra
nan mitan yon kriz sanitasyon?

Kòman w ta vle
pou viktim tranbleman té a
refè lavi yo lè se nan batay
pou yo manje yon tibout pen rasi?

Kòman w ta vle
pou viktim tranbleman té a
refè lavi yo, lè yo ak lanmò
se menmman parèyman?

Di m kòman souple?

After the Shock

After the shock,
the emergency rooms
turned into funeral homes
where death gazed at the survivors
from every corner of the hospital.

After the shock,
the streets became
open-air morgues
where mournful families
moved from body to body
searching for their kin
under an oppressive sun.

After the shock,
millions of Haitians
lived by alerts.
Anytime they heard a noise,
they reacted like crazy ants
wondering if it were
more aftershocks.

Aprè Chòk la

Aprè chòk la
chanm dijans yo
tounen ponp finèb
kote lanmò kale grenn je l
sou moun ki blese yo
nan tout rakwen nan lopital la.

Apre chòk la
tout lari yo tounen
mòg anplennè
kote fanmi ap agoni
pandan y ap mache chèche
zantray yo nan mitan kadav yo
anba you soléy kap bay lanfè pinga.

Aprè chòk la
milyon Ayisyen
tap viv ak kè yo sou biskèt.
nenpòt ti bri
fè yo aji kou foumi fou,
pou sizanka
se yon lòt aprèchòk.

Do Haitians Care?

Do Haitian agronomists care
that starvation forced the peasants
to move to the city for a so-called better life,
because their land yielded no food?

Do Haitian physicians care
that the public healthcare system
was dysfunctional
long before the earthquake,
and that simple diseases like cholera
kill the population like flies?

Do Haitian educators care
that three out of five children
drown in a cesspool of illiteracy
while they watch and do nothing?

Does the Haitian president care?
Do Haitian senators care?
Do Haitian legislators care?
Do Haitians care?

Eskè Ayisyen Sousye?

Eskè agronòn Ayisyen yo sousye
ke grangou à peyizan yo desann lavil
pou vin chèche yon lavi miyò
paske jaden yo pa pwodui anyen?

Eskè doktè Ayisyen yo sousye
ke sistèm sante nan peyi
bay anpil kè plen
avan tranbleman tè a,
epi nenpòt epidemi kou kolera,
tiye pèp kou mayengwen?

Eskè enseyan Ayisyen yo sousye
ke sou chak senk timoun gen twa nan yo
kap neye nan yon basen plen ak dlo sòt.
Epi yo kanpe ap gade kòmsi se pa anyen?

Eskè prezidan Ayisyen sousye
Eskè Senatè Ayisyen sousye?
Eskè depite Ayisyen sousye?
Eskè gen yon Ayisyen ki sousye?

I Will Never Forget that Day
Joana Desroches

January 12, 2010 is a date that every Haitian should never forget, because on that day, a massive earthquake destroyed the country. Let me tell you what happened. I was home playing. Suddenly, I heard a loud noise. Then I saw the earth shaking. I was in shock. I saw house after house fall down; I was so shocked that I became sick. My whole body was covered with a rash. My mother took me to the doctor. After a couple of weeks, my skin cleared. But, I was still sad because three members of my family died during that earthquake.

After that terrible experience, my family and I were very scared. We had to find a place to stay safe. We found a soccer field where we stayed with a lot of other families, because their houses collapsed too. I wasn't happy. I had nightmares. Any time I heard a noise, I panicked; I wanted to run.

I will never forget that day. This was the first time in my life that I ever saw something like that.

Joanna Desroches, 12, is in 4th-grade. She has three brothers and three sisters. She would like to become a doctor.

Mwen pap Janm Bliye Jou sa a
Joana Desroches

12 janvye 2010, se yon jou ke chak grenn Ayisyen pa ta sipoze janm bliye paske jou sa a se yon jou ke yon gwo tranbleman tè a te frape peyi a. Ki te mwen rakonte w sa ki te pase. Jou sa mwen te lakay mwen, m t ap jwe epi se konsa mwen tande yon gwo bri menm kote a mwen te wè tè tap tranble, mwen te sezi anpil. Lè mwen gade mwen wè kay kòmanse tonbe, mwen fè yon sezisman ki kòz mwen te vin malad anpil. Mwen te gen yon pakèt bouton leve sou tout kò mwen. Manman mwen te blije kouri kay doktè ak mwen. Aprè de ou twa senmèn n mwen te vin geri. Mwen te toujou tris paske mwen gen twa moun ki te mouri nan fanmi m nan tranbleman tè a.

Aprè katastwòf sa mwen tap viv ak kè sote sou yon tèren, kote ki te genyen anpil lòt fanmi la tou kay nou te kraze, nou te oblije al viv sou tèren sa. Kè mwen pat kontan, paske lespri mwen te toujou sou tranbleman tè a. Nenpòt ti bri fè m sotè, mwen anvi kouri.

Mwen pa gen dwa janm bliye jou sa a, paske se premye fwa nan lavi m mwen te wè yon bagay konsa. Sa se istwa pa m.

Joanna Desroches gen 12 zan. Li nan katryèm ane fondamantal. Li gen twa frè ak twa sè. Li ta vle vin yon doktè.

Ballot Under the Rubble

Casting a ballot
will not alleviate the suffering
of millions of people
displaced by the earthquake.

Casting a ballot
will not bring any change
to a country that was proclaimed
the most corrupt in the world.

Casting a ballot
for what?
To be an accomplice
in the selection of a president
who is willing to sell what's left
of the country to foreign investors.

Casting a ballot
for whom?
Today's candidate of the people
is tomorrow's millionaire!

Vote Anba Ranblè

Vote
pap ka brenndeng soufrans
milyon moun ke tranbleman tè a
fè tounen avadra gran chimen.

Vote
pap pote okenn chanjman
nan yon peyi ke yo deklare
chanpyon mondyal nan fè sis tounen nèf.

Vote
poukisa?
Pou m ede zòt fè kout maltaye
pou yo bann yon prezidan poupetwèl
ki prè pou vann ti sak rete nan peyi a
bay gro envestisè etranje.

Vote
pou ki es?
Joudi a, kandida pèp
demen, nèg rich.

Confession

For Haitian Natif Natal

I am Haitian.
The blood of my ancestors
still surge in my veins.

I am a Haitian
who conspired,
divided and conquered
for power and wealth.

I am a Haitian
who traded my respect,
my conscience, my dignity,
just for a visa.

I am a Haitian.
I act like an American.
I talk like the French
I walk like a Canadian.

But then, who am I?

Konfesyon
Pou Ayisyen Natif Natal

Mwen se yon Ayisyen.
San zansèt mwen yo
kontinye ap koule nan venn mwen.

Mwen se yon Ayisyen
mwen fè konplo,
mwen divize pou m reye
pou pouwva ak lamama.

Mwen se yon Ayisyen
mwen fè boukantaj
respè m konsyans mwen,
diyite m senpman pou yon visa.

Mwen se you Ayisyen
Mwen aji kou Ameriken
Mwen pale kou yon Fransè
Mwen mache kou yon kanadyen.

Men, ki es mwen ye?

For our Country

For our country,
let us act with consciousness
and work shoulder-to-shoulder
to help our brothers and sisters.

For our country,
let us support each other.
let the strong assist the weak;
let the rich lend a hand to the poor;
let the scholars teach the illiterate.

For our country,
let us sit around a table
and discuss how to rebuild
our country that the earthquake destroyed.

For our country,
let us join hands,
and sing… sing.
"For our country,
for our forefathers,
united… let us march."

Pou Peyi nou

Pou peyi nou
ann pran konsyans
ann travay zèpòl ak zèpòl
pou nou soulaje frè ak sè nou.

Pou peyi nou
ann kore youn lòt
moun ki gen fòs, ede sa ki fèb,
moun ki rich, sipòte sa ki pòv,
moun ki konn li ede pitit sòyèt yo.

Pou peyi nou
ann chita bò tab la pou nou ka wè
ki jan n ap fè pou nou rebati peyi a
ke tranbleman tè a fin dekonstobre.

Pou peyi nou
ann kenbe men,
pou nou chante…chante
"Pou peyi nou
ak tout zansèt nou
mem nan men... an nou mache".

Constitutions of Haiti

1804
1805
1806
1807
1811
1816
1843
1849
1874
1879
1889
1902
1918
1932
1935
1946
1950
1957
1964
1971
1983
1987

The leaders who swore to uphold the Constitution of Haiti are the very ones who walk all over it.

Konstititions Peyi Dayiti

1804
1805
1806
1807
1811
1816
1843
1849
1874
1879
1889
1902
1918
1932
1935
1946
1950
1957
1964
1971
1983
1987

Lidè ki jire pou yo respèkte Konstitisyon an se yo kap pilonnen l chak jou kòmsi se nòmal.

Recess

At least for now,
there are no classes.
The earthquake expunged
the social status.

At least for now,
there are no classes.
Everybody is in recess,
facing a desperate situation
under makeshift tents.

At least for now,
there are no classes.
They fought each other
over bags of rice airdropped
from U.S. military helicopters.

At least for now,
the class system
is postponed
until recess is over.

Rekreyasyon

Antouka pou kounye a,
pa gen klas sosyal ankò.
Tranbleman tè a demantle
barikad sosyal yo.

Antouka pou kounye a,
pa gen klas sosyal ankò.
Tout moun nan rekreyasyon
nan you sitiyasyon malouk
anba yon tant kole pyese.

Antouka pou kounye a,
pa gen klas sosyal ankò.
Youn ap batay ak lòt
pou yon sak diri kap degrenngole
anba vant elikoptè militè meriken.

Antouka pou kounye a,
zafè klas nan peyi a al ozabwa
jouskaske rekreyasyon an kaba.

Another Coup

Another coup
that wiped out Haiti's hope
of crawling out of abject poverty.

Another coup
that surpassed all the other coup d'etats
inflicted on the people by crooked
politicians when they grabbed power.

Another coup
that destroyed our nation and
turned it into a landfill of scrap,
chunks of concrete, and dust.

Another coup,
a brutal coup
that paralyzed the country.

Yon lòt Kou

Yon lot kou
ki dechouke espwa Ayiti te genyen
pou l rale sòti anba grif lamizè.

Yon lòt kou
ki pirèd pase tout koudeta
politisyen agranman bay pèp la
lè yo volè pouvwa.

Yon lot kou
ki ratibwaze peyi a
ki fè l tounen yon depotwa tè
bout mi ak pousyè.

Yon lòt kou
yon kou sovaj
ki paralize peyi.

Lament for Haiti

Your blurry eyes
once saw a prosperous island
now destroyed by foreign powers,
with the complicity of its leaders.

Your somber voice
attempted to recount the history
of a country that no one
wants to know about.

Your gaunt face
revealed an imminent death
that haunts the country daily
with disease.

Plenn pou Ayiti

Grenn je l
te konn gade yon ti zile rich
jodi a gro peyi fin de chèpiye
nan konfyolo lidè lakay.

Vwa li yenyen
lap mamòte istwa
yon peyi ke pyès moun
pa vle tande.

Figi l grizonnen
sanble tèt koupe ak lanmò
kap toupizi peyi a chak jou
ak vye adipanpan.

Haiti is Us
Lovenski Baptiste

I had a very difficult experience on January 12, 2010. I would like to share with you how I survived the tragedy. When the earth began to move, I was in school. I saw teachers and students starting to run. I was so afraid that I froze. Then I began to run. But I still didn't know what was going on.

Finally, when I reached home, my mother told me it was an earthquake. My mother also called it a catastrophic event. My school collapsed. Several of my classmates and my family members lost their lives. For days, I didn't feel like eating. I was so sad, but I wrote this poem:

Haiti will not die.

Haiti will rebuild.

We are Haiti.

Haiti is us.

I love you Haiti.

Lovenski Baptist is 13-years-old and in the 5th grade. He has five brothers and three sisters. He would like to become an engineer.

Nou se Ayiti
Lovenski Baptiste

Mwen te viv yon moman kite trè difisil, Jou ki te 12 janvye 2010 la, mwen vle pataje avèk nou kòman mwen te viv li. Lé tè te kòmanse tranble a mwen te lekòl, nan yon ti moman mwen te wè tout pwofesè ak elèv pran kouri, Menm lè sa laperèz pran mwen friz. Aprè yon tan, mwen pran kouri tou. Mwen pa konprann sa ki tap pase a.

Lè mwen te rive lakay se lè sa manman m t ap esplike m ke se te yon tranbleman tè a. Epi manman mwen di sa se yon koken katastròf. Epi lekòl mwen te kraze sa te fè m mal anpil. Mewn gen anpil moun kite mouri nan fanmi mwen epi mwen te pèdi anpil nan kamarad mwen yo tou. Mwen pat manje epi mwen te tris anpil. Mwen te ekrit ti pwezi sa a.

Ayiti pap peri,
Ayiti ka rekonstwi.
Nou se Ayiti,
Ayiti se nou.
Mwen renmen Ayiti.

Lovenski Baptist gen 13 zan. Li nan senkyèm ane fondamantal. Li gen senk frè twa sè. Li ta vle vin yon engenyè.

Haitians Helping Haitians

Communities uprooted.
Lives disrupted.
Infrastructure crushed.
Hunger skyrocketed.
But, they shared their crumbs.

Communities uprooted.
People packed like sardines
in open fields surrounded
by piles of trash and rubble,
but they helped others in need.

Communities uprooted.
Everybody in the midst of a crisis,
but they treated each other
with fraternity, dignity and respect.

Ayisyen Soutni Ayisyen

Kominote yo demoli
lavi dekonstonbre,
infraktiti dechalbore,
lamizè ap fè tòtòt ak yo
kwak sa yo separe tikal pen ak lòt.

Kominote yo demoli
y ap viv kou aransò nan bwat
sou yon tèren ki bade tribo pa babò
ak labou boulonnnen ak fatra
kwak sa youn soutni lòt.

Kominote yo demoli
tout moun ap bat dlo pou fè bè
men yo aji youn ak lòt
nan fratènite, diyite E ak respè.

Our flag

In Memory of Catherine Flon

Our flag is
our respect;
our symbol of freedom;
our ancestors' blood;
our independence;
our unity;
our power.

Years ago,
each morning
before school began
we proudly sang,
"For the flag,
for our country,
to die is a fine thing."

Nowadays,
our flag has become a rag under
the boots of the United Nation's troops.
And, we no longer can sing,
"Let us be masters of our soil."

Drapo Nou

Pou nanm Catherine Flon

Drapo nou
respè nou;
senbòl libète nou;
san zansèt nou yo;
endepandans nou;
tèt ansanm nou;
fòs nou.

Mwen sonje,
chak maten
avan lekòl kòmanse
ak fyète nou chante,
"Pou drapo nou,
Pou peyi a,
mouri pou li se yo bon bagay."

Jodi a,
drapo nou tounen tòchon
anba bòt gad nasyonzini yo.
Epi nou pa ka chante ankò,
"Nou fèt pou n sèl mèt nou".

Disabled List

For Lanite

In the aftermath
of the earthquake,
doctors and charlatans
used rum or volka to sterilize
rusty hacksaws used
to amputate limbs
butchers' style,
at makeshift hospitals.

In the aftermath
of the earthquake,
Haitians who became infected
with viruses that bred bacteria
died like flies because
they lacked basic medical care.

In the aftermath
of the earthquake,
the disabled population increased.
But, don't treat them like lepers,
like a waste to society,
or like beggars on the streets.
Rather treat them like human beings,
despite their missing body parts.

Lis Moun Endikape

Pou Lanite

Aprè dezas
tranbleman tè a
bòs machòkèt ak doktè yo
vide ronm ak volka pou yo tiye mikròb
sou yon vye si yo itilize
pou yo depatcha kò malad yo
tankou bouche
anba yon tant kole pyese.

Aprè dezas
tranbleman tè a
anpil malad fè enfeksyon
ki simaye bakterya
ki kòz yo mouri kou marengwen
paske pap gen remèd pou ede yo.

Aprè dezas
tranbleman tè a
peyi vin gen plis moun endikape.
Men pa trete yo kòm si yo gen lèp,
kou yon depotwa pou sosyete a
kou yon mandian nan lari.
Men kou yon moun
menm si yo manke yon mòso.

Litany

God guide us
to elect pragmatic leaders
who will not waver when earthquakes
or other disasters strike our country.

God guide us
to elect competent leaders,
who will help us become bakers,
instead of giving us crumbs.

God guide us
to elect strong leaders,
not with our empty bellies
but with our heads.

God guide us
to elect leaders
who still carry the blood
of our ancestors in their veins.

God guide us
to elect leaders
who will inspire the nation
to work harder to eradicate
the stigma of Haiti being the poorest
nation in the Western Hemisphere.

Amen.

Litani

Bondye ede nou
chwazi yon lidè ki gen karaktè
ki pap bay legen lè tranbleman tè a
ou byen lè lòt epidemi krabinen Ayiti.

Bondye ede nou
chwazi yon lidè ki gen konpetans
ki pap voye kèk pen rasi ba nou,
men ki aprann nou fè pen nou.

Bondye ede nou
chwazi yon lidè
ak tèt nou poze sou zepòl nou
men pa ak yon vant aloufa.

Bondye ede nou
chwazi yon lidè
ki gen bon san zanzèt nou yo
k ap koule nan venn yo.

Bondye ede nou
chwazi yon lidè
k ap enspire nasyon
pou nou travay di pou nou chanje
vye etikèt sa ki sou do nou an.
Ayiti se peyi pi pòv nan emisfè lwès la.

Ensiswatil.

Haiti Fatigue

For Sean Penn

Several days
after the earthquake,
thousands of good Samaritans
packed their suitcases
and went to Haiti, prepared
to comfort the afflicted,
feed the hungry,
clothe the naked,
heal the wounded,
and help rebuild homes.
Months later,
they caught a disease
called "Haiti Fatigue."
Despite all,
they are still helping
Haiti recover.

Ayiti Fatig

Pou Sean Penn

Kèk jou
aprè tranbleman tè a,
yon rafal katafal bon samariten
ak malèt yo chaje kou lekba
debake nan peyi Ayiti,
pou y al konsole sila ki kagou,
bay moun ki gen lestomak vid manje,
abiye sila yo ki toutouni,
bay laswenyay ak sila ki malad,
epi ede rebati kay pou sinistre.
Men, kèk mwa aprè,
yo genyen yon maladi
yo rele "Ayiti Fatig."
Kwak sa,
yo kontinye feraye
pou yon Ayiti meyé.

Feed the Children

In Haiti
"Save the trees!"
is just a slogan,
a dream for tomorrow
or yesterday's recollections,
because machetes and hacksaws
have slashed the trees every day,
not for barbeques
or picnics in the park.
Not for firewood on
a cozy winter evening.
But to cook meager meals
to feed the children.

Manje pou ti Moun yo

Nan peyi Ayiti
"Zafè proteje pye"
se sèlman yon reklam,
ou byen rèv je klè
ou byen souvni dantan,
paske goyinn, manchèt ak rach
y ap depatcha pye bwa chak jou,
men se pa pou yo boukannen vyann,
nan pak bò lanmè.
OU byen pou rechofe kò yo
nan sezon fredi.
Men pito pou yo kwit yon ti lamanjay
pou timoun yo.

I Thought It was the End of the World
Shaïna Jeanty

On January 12, 2010, when the earthquake hit Haiti, I was inside my house eating. I felt the house shaking. I ran out and a part of the house fell. I was sad when I felt the earth moving. During the earthquake, one of my uncles died. The house fell on him. I was sad because a lot of people were crying for him. Then they found the body of one of my cousins at the University three days after the earthquake. His body had decayed. In order to bring the body to the cemetery, my family and I had to put some lemon leaves in our nostrils to block the odor. After the earthquake, I wasn't feeling well. I was sick. My family had a difficult time finding food and money. I thought it was the end of the world.

Shaina Jeanty is a 10-year-old girl who is in the 3rd th-grade. She has one brother and three sisters. She would like to become a nurse.

Mwen te Panse se te Lafen Dimonn
Shaïna Jeanty

12 Janvye 2010 lè tranbleman tè a te sakaje Ayiti, mwen te anndan lakay mwen. Mwen t ap manje. Epi mwen santi kay la ap souke. Mwen kouri sòti, epi yon bout nan kay la tonbe. Mwen te tris lè mwen te santi tè a t ap balanse. Pandan tranbleman tè a mwen te gen yon tonton m ki te mouri. Kay la te tonbe sou li. Mwen te tris anpil paske te gen yon pil moun ki t ap rele. Aprè sa yo jwenn kadav yon kouzen m nan inivèsite a twa jou a pre tranbleman tè. Kadav li te kòmanse ap bay move zodè. Pou nou k al antere, mwen ak tout lòt fanmi yo te oblije mete fèy sitron nan nen nou pou nou pa pran sant an. Aprè tranbleman tè a mwen pat santi m byen di tou. Mwen te malad. Fanmi mwen te gen pwoblèm pou jwenn manje ak lajan. Lè sa mwen te panse se te lafen dimonn.

Shaïna Jeanty gen 10 zan li nan twazyèm ane fondamantal. Li gen yon frè ak twa sè. Li ta renmen vin yon enfimyè.

The Bells

In memory of Archbishop Serge Miot

The bells of Notre Dame D'Haiti
toll, toll no more
for the masses,
the baptisms and
the first communions.

The bells of Sacred Heart Church
toll, toll no more
for the confirmations
and the weddings.

The bells of St. Joseph Church
toll, toll no more,
for the requiems,
and the funerals.

The bells of St. Rose de Lima
toll, toll no more,
not even for 300,000 tragic deaths.

Klòch yo

Nan memwa Monseyè Serge Miot

Klòch Nòtredam Ayiti yo
pa sonnen, pa sonnen ankò
ni pou mès katrè,
ni pou batèm,
ni pou premye kominyon.

Klòch legliz Sakrekè yo
pa sonnen, pa sonnen ankò
ni pou konfimasyon
ni pou maryaj.

Klòch legliz Senjosèf yo
pa sonnen, pa sonnen ankò
ni pou libera
ni pou antèman.

Klòch legliz Sentrozdelima yo
pa sonnen, pa sonnen ankò
Pa menm pou twasanmil mò trajik yo.

Nightmares

They had no place
to lie down.
They did not have dreams,
not even a daydream.
They only had nightmares
of bodies being flattened beneath
rusty bulldozers,
of bones cracking,
the smell of burning flesh,
and aftershock after afteshock.

Kochma

Yo pan gen kay
pou yon ti kabicha.
Yo pa fè rèv
yo pa men m ka reve je klè.
Se kochma y ap fè.
Yo wè yon bouldozè wouye
kap platinen kadav.
epi bri zo kap kraze,
sant kadav k ap boule
epi aprèchock sou aprechòk.

Generation E (Earthquake)

Generation E is,
Haiti's only hope.
Youthful mind, strong body.
Are you ready to take over
after nature has snapped Haiti?

Generation E,
student, lawyer,
doctor, teacher, professional,
get up from the rubble.

Generation E,
son of Queen Claire Heureuse,
daughter of Emperor Dessalines,
stand up for the masses.

Generation E,
don't trade your dignity for vanity
like today's leaders who walk
on their knees with a bowl begging.

Generation E,
respect yourself,
respect your country,
respect the Constitution.

Jenerasyon T (Tranbleman tè)

Jenerasyon T,
sèl espwa peyi Ayiti
sèvèl wòwòt, dyanm kou toro.
Eske w prè pou pran mayèt la
apre lanati frape peyi a?

Jenerasyon T,
Etidyan, òmdedwa,
doktè, pwofesè ak anseyan
leve kanpe anba debri yo.

Jenerasyon T,
pitit gason Rèn Clè Erez,
pitit fi Anprè Desalin
kanpe kòtakòt ak pèp la.

Jenerasyon T,
pa boukante diyite w pou vanite
kou lidè alè kile k ap mache
ajenou ak yon kwi nan men yo.

Jenerasyon T,
respekte tèt w,
respekte peyi a
respekte konstitisyon.

Restitution

We demand
that each businessman
who defrauded the country,
must pay restitution.

We demand
that every president,
past or present,
outside or inside the country,
who has emptied Haiti's coffers,
must pay restitution.

We demand
that each foreign government
that extorted funds from Haiti
for shaking the foundation of slavery,
must pay restitution.

We demand
restitution so that we may rebuild
our infrastructure
without begging.

Restitisyon

Nou mannde
chak komèsan
ki fè mannigans pou pa peye enpo,
dwe peye restitisyon.

Nou mande
chak prezidan,
prezan kou pase
ni sa ki anndan ou deyò peyi a,
ki plen pòch yo ak byen leta,
dwe peye restitisyon.

Nou mande
chak gouvènman etranje
ki fòse Ayiti peye yon dèt
paske li te bat chalbari dèyè lesklavaj,
dwe peye restitisyon.

Nou mande
restitisyon pou nou rebati
enfraktiti nou yo
san mande charite.

The Poor and Rich Became One
Kelidad Jeanty

On January 12, 2010, when the earthquake hit Haiti, I was inside my house. I felt the house shaking. I ran out and saw dust covering the country. I lost one of my uncles during the earthquake, He was asleep when his house fell on him and killed him. I cried a lot for him and other people who died in the neighborhood.

In the evening, I was very scared and was thinking about where I was going to sleep that night. I was very tired. We went to a soccer field.

I felt much better when I saw rich and poor people sleeping next to each other. All night long, I was thinking that it was the end of the world. I will never have enough time to explain to you what happened in Haiti during that event.

Kelidad Jeanty is 12-years-old and in the 4th-grade. She has one brother and three sisters. She would like to become a cosmetologist.

Malere ak Grannèg te fé yon sèl
Kelidad Jeanty

12 janvye 2010 la, lè tranbleman tè a te pase mwen te anndan kay mwen, m t ap manje. Epi mwen santi kay la ap souke mwen kouri sòti deyò, epi mwen wè yon van melanje ak pousyè kouvri tout peyi a. Aprè sa mwen gen yon tonton mwen ki t ap dòmi pandan tranbleman tè a, kay la tonbe sou li epi li mouri. Mwen te kriye anpil pou li. Lè li kòmanse fè nwa mwen t ap reflichi ki kote m pral dòmi? Paske mwen vin akable anpil. Epi nou tout t al dòmi sou yon tèren foutbòl. Mewn te pran fòs, lè mwen wè ni grannèg ni malere ap domi menm kote.

Mewn te pè mwen t ap panse pandan tout nwuit gen lè se lafen dimonn ki rive. Si tap ran pou eksplike w tout ki te pase, mwen pa tap janm fini.

Kelida Jeanty gen 12 zan li nan katriyèm ane fondamantal. Li gen yon frè twa sè. Li ta renmen vin yon doctor.

Revolution

Educational revolution
is one of the solutions
for the progression of the nation.

Social-justice revolution
is one of the solutions
to eradicate corruption.

Agricultural revolution
is one of the solutions
to end malnutrition.

Public-health revolution
is one of the solutions
to stop disease reoccurrence.

Political revolution
is one of the solutions
for fair and credible elections.

Economic revolution
is one of the solutions
for Haiti to end its dependence.

Revolution is the only solution.

Revolisyon

Revolisyon nan zafè edikasyon
se youn nan solisyon yo
pou kaba analfabetizasyon.

Revolisyon nan zafè jistis ak afè sosyal
se youn nan solisyon yo
ki ka bat chalbarik dèyè koripsyon.

Revolisyon nan zafè agrikilti
se youn nan solisyon yo
pou nou lage koukourouj dèyè grangou.

Revolisyon nan zafè sante piblik
se youn nan solisyon yo
pou nou kontrekare tout vye maladi.

Revolisyon nan zafè politik
se youn nan solisyon yo
ki ka ede nou fè eleksyon, san magouy.

Revolisyon nan zafè ekonomi
se youn nan solisyon yo
k ap fè Ayiti sòti sou lobejans.

Sèl solisyon revolisyon.

Legacy

The children were born
in the shadow of misery,
misery of their parents,
their parents who
lived on the streets,
on the streets until they died.

The children were born
in the shadow of misery,
misery of their parents,
their parents who
were once children like them,
whom no one cared about,
because they were born
in the shadow of misery.

Eritaj

Timoun yo te fèt
nan yon mizè nwa,
menm jan ak paran yo,
paran yo ki te pase
tout vi yo nan lari,
nan lari jouk yo mouri.

Timoun yo te fèt
nan yon mizè nwa,
menm jan ak paran yo,
paran yo ki te timoun
menm jan ak yo
ke pèsonn pa bay okenn valè,
paske yo te fèt
nan yon mizè nwa.

We Can no Longer

We can no longer
endure our plight like a donkey
muzzled by repression.

We can no longer
live with the uncertainty
that plagues our lives.

We can no longer
struggle day after day
for survival.

We can no longer
wait for our conditions
to improve.

We can no longer
watch our children
die in crushing misery.

We can no longer
cram beneath a plastic tarp
that can even fool the sun.

Nou pa Kapab Ankò

Nou pa kapab
kontinye ap trènen kou yon bourik
anba chay mizo represyon.

Nou pa kapab
kontinye ap viv vaykevay
nan kalamite.

Nou pa kapab
batay ankò chak jou
pou nou ka siviv.

Nou pa kapab
tann ankò sepman
pou yon demen miyò.

Nou pa kapab
rete gade timoun nou yo
k ap tounen zèl sapat lamizè.

Nou pa kapab
rete akokiye ankò anba yon bout plastik
ki pa menm ka tronpe solèy.

Haitians are Resilient

Haitians are resilient.
Nothing can affect their spirit
not even a hurricane,
flood, mudslide,
earthquake and cholera
can obliterate them.
Haitians are resilient
Resilient?
What does that mean?

Haitians are resilient.
Nothing can affect their spirit
Not even misery,
hunger,
sickness,
crushed limbs
nor death
can annihilate them.
Haitians are resilient
Resilient?
What does that mean?

Ayisyen se Wozo

Ayisyen se wozo.
Anyen pa toumante lespri yo
siklòn pa kapab,
inondasyon, rivyè labou,
tranbleman tè a ak kolera
pa ka demantibile yo.
Ayisyen se wozo
Wozo?
Kisa w vle di?

Ayisyen se wozo
anyen pa toumante lespri yo,
lamizè pa kapap,
ni grangou,
ni zo kraze,
ni ma ladi,
menm lanmò
pa brendeng yo.
Ayisyen se wozo
Wozo?
Kisa w vle di?

No Place to Hide
Francesca St. Julien

On January 12, 2010 at 4:54 p.m., an earthquake shook Haiti and left most of the country collapsed. Although time has passed, I am still crying, but I will share with you what happened.

After school, I went home, changed my clothes and ate. While I was doing my homework, I felt the house shaking under me. I became scared and started yelling, but nobody heard me, nobody came.

The house stopped shaking for a while, and I ran outside to see what was going on. When I got out, someone told me it was an earthquake. We were scared to sleep inside; we believed the houses would fall on us. We slept in a big soccer field with a lot of other people.

I felt terrible because my house was cracked, my school had fallen down, and one of my cousins and two of my friends died. All of the losses made me very sad.

I am troubled, because it's the first time I have ever seen anything like that. The earthquake destroyed Haiti on that day, and there were no places for Haitians to hide.

I prayed to God to never let me see anything like that again.

Francesca St. Julien is an 11-year-old 7th-grader. She has one brother and one sister. She would like to become a dancer.

HAITI AFTER THE SHOCK

Pa gen Kote pou Moun Kache
Francesca St. Julien

Madi 12 Janvye 2010 a 4 trè 54 nan aprè midi. Te gen yon gwo evènman ki te frape Ayiti ki te koze anpil dega. Se avèk dlo nan zye m ap dekri evenman sa ki te pase.

Mwen te fèk rive lakay. Mwen retire rad mwen, epi m manje. Mwen fèk fin etidye, pandan m tap fè devwa'm mwen santi kay la pran souke ak mwen. Mwen pran rele men pyès moun pa t vin ede m.

Aprè yon ti tan, kay la sispann souke, mwen pran kouri sòti nan kay la pou m ka wè sa ki genyen. Se lè sa yon moun di m se te yon tranbleman tè a. Nou te pè pou kay pa tonbe sou nou. Nou te oblije al pase nwit sou yon tèren foutbòl ak yon pakèt lòt moun.

Mewn te santi dekouraje paske kay mwen fisire, lekól mwen kraze. Mwen gen yon kouzen m ki te mouri. Epi mwen pèdi de ti zanmi m. Tou sa te fè mal anpil. Bò lakay mwen anpil kay te kraze.

Kè m te boulvèse anpil paske se premye fwa mewn te wè yon bagay konsa. Gwo evènman ki te frape Ayiti te fè anpil dega. Epi jou sa a pat gen kote pou Ayisyen te al kache.

Mwen ta swete pou Bondye pa janm ki te mwen wè yon bagay konsa ankò.

Franscesca St. Julien gen 11 zan. Li nan setyèm ane fondamantal. Li genyen yon frè ak yon sè. Li ta vle vin yon dansè.

Thirsty Land

No spigot
No well for millions
to fetch uncontaminated
water for drinking.

No spigot
No well for millions
to fetch water
free of cholera.

No spigot
No well for millions
to fetch clean water
that is sometimes
more scarce than food.

No spigot
No well for millions
to fetch unpolluted water,
water that is never enough,
unless there is a deluge.

Peyi a Swaf

Pa gen robinè
pa gen pwi pou milyon
al bouske dlo san mikròb
dlo pou yo bwè.

Pa gen robinè
pa gen pwi pou milyon
al bouske dlo
ki pap bay kolera.

Pa gen robinè
pa gen pwi pou milyon
al bouske dlo pwòp,
ki kèk fwa plis difisil
pou jwenn ke manje.

Pa gen robinè
pa gen pwi pou milyon
al bouske dlo klin
dlo ki pa janm ase
sèlman lè gen inondasyon.

A Requiem

A requiem
for my brothers and my sisters
who were crushed to death
during the earthquake.

A requiem
for my brothers and my sisters
whose ghosts have been wandering
around the country.

A requiem
for my brothers and mysisters
whose tired souls can now rest in peace.

A requiem
for my brothers and my sisters
who vanished without a trace.

Yon Libera

Yon libera
pou frè nou yo ak sè nou yo
ki mouri kraze, demantibile
pandan tranbleman tè a.

Yon libera
pou lespri frè nou yo ak sè nou yo
sispann fè tolalito
nan rakwen peyi a.

Yon libera
pou nanm frè nou yo ak sè nou yo
ka repoze anpè.

Yon libera
pou frè nou yo ak sè nou yo
ki disparèt tankou zèklè.

Jesus Saves Haiti

An old man stood
in front of a cross
amid the ruins
of Sacred Heart church.
He clutched a rosary
while humming,
"Jesus saves Haiti."
He repeated
the refrain of the song
and wept,
wept
at the cross.

Jezi Sove Ayiti

Yon granmoun kanpe
ak de bwa li ouvè
devan yon kwa
nan mitan debri
legliz Sakrekè a.
L ap woule yon chaplè
pandan lap fredone
"Jezi sove Ayiti"
li repete refren chante
epi li kriye,
li kriye
devan kwa a.

No One Wept

The families walked
with turtle steps
behind the coffin,
with pain on their faces,
but no one wept.

The families walked
with turtle steps
behind the coffin.
Their eyes were as dry
as the piece of concrete
that had crushed
their relative to death.

The families walked
with turtle steps
behind the coffin,
but no one wept.
They had witnessed
so many deaths until
they had become numb.

Yo pa Kriye

Fanmi yo ap mache
kou yon tòti
dèyè sèkey la,
ak figi yo fin blayi,
men, yo pa kriye.

Fanmi yo ap mache
kou yon tòti
dèyè sèkey la.
Men je yo sèch
tankou bout mi
ki kraze fanmi yo
menm jan ak marengwen.

Fanmi yo ap mache
kou yon tòti
dèyè sèkey a,
men yo pa kriye
Paske yo temwen
tròp moun mouri
yo vin angoudi.

Here We Are

You children,
who were thrust into
the tent cities and
squatted in the dust eating
pieces of stale bread,
what do you want?

You women,
with fragile bodies,
who work each day
without a harvest,
what are your wishes?

You old men,
with your feeble legs,
who waited for help
that never came.
Do you have any regrets?

You children,
you women
and you old men.
Do you have any dreams?

Nou La

Timoun yo,
ou menm nou jete
nan site tant yo,
akroupi nan pousyè
k ap manje bout pen rasi.
Kisa ou vle?

Fanm yo,
ou menm kò ou fin delala
nan bourike chak jou
men ki pa rekòlte anyen.
Ki sa ou swete?

Granmoun yo,
ou menm ak janm bagèt legede
ki tounen pwatann
kwak sa anyen pa chanje.
Ki sa ou regrèt?

Timoun yo,
fanm yo,
epi granmou yo.
Eske nou gen yon rèv?

A Ghetto with Tents

Champs de Mars,
a ghetto with tents
surrounded by piles of debris,
where sanitation is nonexistent.

Champs de Mars,
a ghetto with tents
where quake survivors
cook over charcoal fires,
take baths next to "Neg Marron's"statue,
do their laundry, and hang
their clothes on Toussaint's statue.

Champs de Mars,
a ghetto with tents
where residents
lost their dignity,
lost their pride,
lost their human rights,
even though they are
the President's neighbors.

Tant Bidonvil

Channmas,
yon tant bidonvil
bare ak pil fatra
sanble kote sèvis dijèn abandone.

Channmas,
yon tant bidonvil
kote viktim tranbleman tè a
fè manje ak chabon difè,
benyen bap pou bap ak Nèg mawon
yo lave rad epi yon tann yo
sou stati Tousen Louvèti a.

Channmas,
yon tant bidonvil
kote kretyen vivan
pèdi diyite yo,
pèdi fyète yo,
pèdi dwadelòm yo
kwak yo se vwazinaj
prezidan peyi a.

Thank You God
Samantha Noël

I am going to tell what happened in Haiti on January 12, 2010. I was in front of my house playing with my little brother and a good friend of mine. Suddenly, I heard a loud noise, and then the earth started shaking me. I lost my balance and fell down. While I was on the ground, I looked and saw people lying on their bellies. I still didn't know what was going on. I felt my head spinning.

I thought that everybody was going to die. I was so afraid, and my heart was beating out of my chest. We couldn't even use the telephone to call for help, because all the telephones were dead. It felt like all of my guts were shaking with fear.

"Oh my God," I remember saying. This terrible event nearly destroyed Haiti. A lot of houses collapsed. A lot of people were injured and many died.

Thank you God for your protection. Even though we had to go through all this tragedy, my mother, my father and all the members of my family are safe.

I lost hope. I will never forget that day.

Samantha Noel is a 10-year-old in 7th grade. She has four brothers and one sister. She would like to become a doctor.

Mèsi Bondye
Samantha Noël

Mwen pral di ou kòman sa te ye nan peyi Ayiti jou ki te 12 janvye 2010. Lè sa a mwen t ap jwe devan pòt lakay mwen ak ti frè m epi kamarad mwen. Sanzatann, mwen tande yon gwo bri epi tè a pran souke ak mwen. Epi m pèdi ekilib mwen tonbe. Pandan mwen atè, m gade mwen wè tout moun kouche sou vant. Mwen pat ka konprann sak t ap pase.

Mwen santi yon tèt vire, mwen te panse ke tout moun t ap mouri, se sa ki fè m pè, e kè m tap sote. Nou pat ka pale nan telefòn pou nou mande èd paske tout kontak te koupe. Aprè sa mwen te santi tout anndanm m t ap brase tèlman mwen te pè.

Mezanmi, gwo katastròf sa a frape peyi Ayiti jouk nan mwèl li. Anpil kay te kraze, anpil moun te blese, anpil moun disparèt.

E mwen di Bondye mèsi pou protèksyon li ban mwen, papa m, manman mwen ak lòt manm nan fanmi an. Malgre tout dega ki te fèt nan peyi a nou youn pa t gen anyen.

Samantha Noël gen 10 zan li nan katryèm ane fondamantal. Li genyen kat frè yon sè. Li ta renmen vin yon doktè.

Haiti Needs Your Hands

The load is heavy,
but we are ten million strong.
We can't sit down waiting for assistance
from charitable organizations.
The load is heavy,
but we are ten million strong.
We cannot give up!
Let's stand up!
Put our hands together.
Haiti needs all of our hands.
Hands that educate.
Hands that help farmers.
Hands that reap what they sow.
Hands that help others move forward.
Hands that comfort.
Hands that heal.
Hands that make peace.
Hands that rebuild homes.
Hands that put Haiti first.
Hands that abide by the law.
Hands that lead with dignity.
Hands that feed the children.
Hands that save lives.
Hands that give hope.
Hands that are strong.
Hands that are transparent.
Hands that give justice to all.

Ayiti Bezwen Men nou

Chay yo lou se vre
men, nou se di milyon vanyan
nou pa chita ap tann yon ti lòsyè
anba grif òganizasyon charite yo.
Chay yo lou, se vre
men, nou se di milyon vanyan
nou pa ka bay legen!
fók nou leve kanpe!
youn kenbe men zòt
Ayiti bezwen men nou.
Men k ap bay enstriksyon
Men k ap potekole ak peyizan
Men k ap rekolte sa yo te plante
Men k ap ede zót vanse devan
Men k ap soulaje pèn zòt
Men k ap bay gerizon
Men k ap simaye lapè
Men k ap rebati kay pou sinistre yo
Men k ap defann interè peyi a
Men k ap respekte lalwa
Men k ap dirije ak diyite
Men k ap bay timoun manje
Men k ap bay lavi
Men k ap bay lespwa
Men ki djanm
Men ki transparan
Men k ap bay tout moun jistis.

Marc-Yves Regis has three unpublished manuscripts: "Headstrong Children: Carrying Haiti's Economic Burdens on their Heads"; "When Freedom Comes," a photography book about the life of Haitian braceros (field workers) in labor camps called bateyes in the Dominican Republic; and "America Through my Eyes," a selection of poetry.